Em harmonia com a natureza

Eckhart Tolle

Em harmonia com a natureza

SEXTANTE

Título original: *Findhorn Retreat*

Publicado originalmente nos Estados Unidos pela New World Library.

Gravado em Findhorn, Escócia. Filmado por Owl Productions (www.owlproductions.com)
Música extraída de "Awakening", de Marc Allen (www.watercoursemedia.com)
Fotografias e legendas de Eckhart Tolle.

tradução: Cynthia Azevedo
preparo de originais: Valéria Inez Prest
revisão: Hermínia Totti, Sheila Til e Tereza da Rocha
projeto gráfico original: Mary Ann Casler
diagramação: Marcia Raed
capa: Miriam Lerner
foto da capa: stock.xchng
impressão e acabamento: Geográfica e Editora Ltda.

CIP-BRASIL. CATALOGAÇÃO-NA-FONTE
SINDICATO NACIONAL DOS EDITORES DE LIVROS, RJ

T59e

Tolle, Eckhart, 1948-
Em harmonia com a natureza / fotografias de Eckhart Tolle [tradução de Cynthia Azevedo]. Rio de Janeiro: Sextante, 2009.
il.

Tradução de: Findhorn retreat

ISBN: 978-85-7542-516-9

1. Comunidade Findhorn. 2. Vida espiritual. 3. Retiros - Escócia. I. Título.

09-4401 CDD: 204
CDU: 214

GMT Editores Ltda.
Rua Voluntários da Pátria, 45/1.404 – Botafogo
22270-000 – Rio de Janeiro – RJ
Tel.: (21) 2286-9944 – Fax: (21) 2286-9244
E-mail: atendimento@esextante.com.br
www.sextante.com.br

Prefácio

A inspiração e a magia de Eckhart Tolle na comunidade espiritual Findhorn

Na primavera de 2004, Eckhart Tolle promoveu um marcante retiro durante um fim de semana em Findhorn, uma comunidade espiritual localizada na Escócia que está na vanguarda da transformação pessoal e global. Com a chegada de Eckhart a Findhorn, instalou-se uma atmosfera de verdadeira magia. Todo o retiro foi gravado em vídeo. Depois de cuidadosamente editado, esse material deu origem a dois DVDs, totalizando cerca de quatro horas de experiências intensas e emocionantes.

Desde a palestra de abertura, Eckhart mostrou que cada uma de suas frases tem uma visão e um poder únicos. Muitas pessoas descobriram que sua vida é profundamente afetada quando ouvem ou leem as palestras dele. Eckhart fornece as ferramentas de que precisamos para transformar nossa vida e para nos tornarmos receptivos ao silêncio de cada momento.

Suas palavras exprimem isso melhor. Por esse motivo escolhemos os principais momentos dos DVDs e os apresentamos nas páginas a seguir. Para ilustrar essas passagens, Eckhart selecionou belas fotografias feitas por ele mesmo e as associou a legendas inspiradoras. Juntas elas compõem um incomparável tesouro de frases, fotos da natureza, som e vídeo.

Eckhart Tolle é uma verdadeira fonte de orientação para o mundo, oferecendo-nos sanidade e calma em meio à loucura da nossa civilização.

– Marc Allen
Editor, New World Library

Introdução

A comunidade de Findhorn, na Escócia, nasceu nos anos 1960, baseada em um relacionamento profundo entre os seres humanos e o reino natural. Uma nova relação com a natureza é um aspecto essencial do despertar da consciência humana. Em nossa civilização centrada no ego, o afastamento da natureza é normal e caminha de mãos dadas com a alienação de nós mesmos e dos outros.

Quando nos reunimos durante um fim de semana no ambiente mágico de Findhorn, os pássaros, as árvores, as flores, o vento, o mar, as florestas e os rios passaram a ser nossos professores. Professores de quê? Do silêncio. Eles nos ensinam a viver no presente, a nos entregar ao Agora. São os Mestres do Ser.

Além de trechos das palestras que realizei no retiro, incluí neste livro algumas das minhas fotos de natureza favoritas, como as que tirei ao longo dos anos na Inglaterra, na Colúmbia Britânica (Canadá) e no Oregon (Estados Unidos). Veja se consegue olhar para essas imagens sem pensar em nada ou em quase nada. Mas não *tente* não pensar. Em vez disso, dê total atenção ao ato de olhar, ou seja, à percepção em si. Se os pensamentos surgirem em sua mente, não se deixe envolver por eles. Considere-os nuvens passageiras e nada mais. Depois, quando sair e estiver em contato com a natureza, perceba-a da melhor maneira possível.

Observe suas formas e cores. Sinta o perfume do ar, ouça o farfalhar das folhas, o cantar dos pássaros. Use plenamente os sentidos e deixe o silêncio atento que há dentro de você, e não sua mente, conduzir a percepção.

As percepções sensoriais não são mais do que fenômenos superficiais, no entanto elas podem se tornar uma abertura para a dimensão da profundidade, a esfera espiritual. Quando percebemos as coisas sem pensar, ficamos receptivos ao inominável, ao mistério profundo que permeia tudo o que existe – a Presença da divindade.

Ao sentirmos a Presença, compreendemos que ela e a nossa própria presença são uma só – aqueles que somos além da forma. Isso é o que Jesus quer dizer quando afirma no Evangelho de Tomé: "Rachai a madeira – lá estou eu. Erguei a pedra – lá me achareis." Isso não significa que encontraremos o homem Jesus na madeira ou sob a pedra, mas o Eu Sou, a essência interior, o Ser dentro de todos os seres, de todas as coisas. De repente há algo profundo, belo, vivo, que existe além da forma exterior que percebemos com os sentidos. Quando estamos despertos, a natureza desperta também.

– Eckhart Tolle

O retiro em Findhorn

Esse ensinamento não é baseado no conhecimento, nem em fatos novos, nem em dados interessantes, nem em novas informações. Como o mundo está cheio dessas coisas, basta pressionarmos qualquer botão de uma infinidade de dispositivos para obtê-las. Estamos nos afogando em informações.

Por fim, qual é a finalidade de tudo isso – mais informações, mais coisas, mais disso, mais daquilo? Vamos encontrar a plenitude da vida por meio de mais coisas e de shopping centers maiores e mais espetaculares?

Será que vamos encontrar a nós mesmos aumentando nossa capacidade de raciocinar e analisar, acumulando mais informações, mais coisas? Será que "mais" vai salvar o mundo?

A nuvem em forma de
anjo, o lago, o peixe,
os círculos na água...
e a consciência
perceptiva criando
a forma desse momento.

No estado egoico, o amor se encontra emaranhado na forma, por isso pensamos que ele está na forma, que está na outra pessoa. Não percebemos que o verdadeiro amor é o reconhecimento da ausência da forma no outro – que é o reconhecimento de nós mesmos no outro.

Somos capazes de perceber a ausência da forma com mais facilidade nas coisas da natureza, porque elas são menos desafiadoras do que os seres humanos. No início, aproxime-se do mundo da natureza e relacione-se com ele cada vez mais por meio do silêncio, da presença. Depois, aos poucos, leve isso para seus relacionamentos com as pessoas.

Deixe-as ser. Permaneça em silêncio com as pessoas da mesma maneira como você faz com a natureza. Sinta o campo de atenção silenciosa que flui na direção delas. Ouça e, enquanto estiver fazendo isso, sinta a si mesmo como a consciência, a presença.

Nós somos o céu. As nuvens são as coisas que acontecem, tudo o que vem e vai.

Quando estamos presentes neste momento,
interrompemos a continuidade da nossa história,
do passado e do futuro.
Então, a inteligência se manifesta. E o amor também.
O único modo pelo qual esse sentimento pode se revelar
na nossa vida é por meio dessa espaciosidade
interior, que é a presença.
O amor não tem forma.

Quando a mente perde densidade, nos tornamos translúcidos, assim como a flor.
O espírito – a ausência da forma – brilha através de nós neste mundo.

Algo que nunca conseguiremos fazer é arrumar as formas e acumular todas aquelas de que precisamos, isto é, das quais imaginamos necessitar para sermos plenamente nós mesmos.

Às vezes até conseguimos fazer isso por um tempinho. De repente, achamos que as coisas estão indo bem na nossa vida. A saúde está boa, os relacionamentos estão ótimos, temos dinheiro, bens e amor, além do respeito de todos.

Entretanto, logo algo começa a desmoronar aqui e ali. Ou são as finanças, ou é um relacionamento, ou é a situação de vida. É da natureza do mundo da forma que nada permaneça estável por muito tempo. Então tudo começa a cair aos pedaços de novo.

As formas se dissolvem, novas formas surgem. Observe as nuvens. Elas nos ensinam sobre o mundo da forma.

"Meus pensamentos costumavam me sobrecarregar demais, até que me tornei consciente de que há um espaço vazio, não importa quão pequeno..."

O Sol nunca se põe. Isso é apenas uma impressão criada pela perspectiva limitada do observador. E, ainda assim, que sublime ilusão é.

Quando deixamos de rotular compulsivamente as coisas, quando nos libertamos do apego à nossa história, ficamos sensíveis ao momento presente. A presença surge e substitui nosso sentido conceitual de eu.

Nós nos tornamos muito simples. A necessidade de ser especial deixa de existir. Passamos a ser comuns porque não precisamos mais projetar o sentido de que somos especiais para tentar descobrir nossa identidade nisso.

Que liberdade experimentamos agora sem a necessidade de sermos especiais para obtermos algum sentido da nossa identidade! Quanta liberdade sentimos quando ficamos em contato com a preciosidade que é a essência do nosso ser.

Quando ouvimos um pássaro cantar, há um momento de puro ouvir antes que a mente diga qualquer coisa a respeito. Se conseguirmos ficar atentos a nós mesmos sempre que algo novo atrair nossa atenção, poderemos estar conscientes desse primeiro momento. Ali está o silêncio, que é a vida, a consciência em si mesma.

Ao nos tornarmos conscientes disso, descobrimos que esse momento fica mais longo. O silêncio, que é o pano de fundo das percepções sensoriais, torna-se mais vasto. Ele é sempre vasto, porém até então não sabíamos disso. O silêncio em nosso interior se expande, e, à medida que avançamos na vida, esse estado de consciência flui para tudo o que fazemos.

Tão silencioso é o lago que ele quase se dissolve na ausência da forma.

Atravesse o portal do Agora.

A voz na cabeça que nunca para de falar se torna
uma civilização obcecada pela forma
e, portanto, nada sabe daquilo que é a mais importante
dimensão da existência humana:
o sagrado,
o silêncio,
a ausência da forma,
o divino.
"Pois que aproveita ao homem ganhar o mundo inteiro,
se se perder ou arruinar a si mesmo?"

Há uma bela história a respeito de uma visão que a mulher que escreveu *Um curso em milagres* teve. Nessa visão, ela encontrava um pergaminho dentro de uma velha caixa. Era um pergaminho muito antigo. À medida que o desenrolava, ela começou a ver símbolos à esquerda e à direita. Então, ouviu uma voz dizer: "Se você ler o que está à esquerda, conhecerá o passado. Se ler o que está à direita, conhecerá o futuro."

Ela olhou para ambos os lados e enrolou de volta o pergaminho até o painel central, onde estava escrito "Deus existe". Ela disse: "Isso é tudo o que me interessa. Não desejo nada mais. Deus existe." E a voz afirmou: "Parabéns! Você conseguiu desta vez."

O ponto fundamental para ela passara a ser o momento presente.

A forma desse momento é o portal da dimensão sem forma. É a porta estreita que, segundo Jesus, conduz à vida. Sim, ela é estreita: é somente esse momento.

Para encontrá-la, precisamos enrolar o pergaminho da nossa vida, no qual nossa história, considerando o passado e o futuro, está escrita. Antes de haver livros, existiam pergaminhos, e nós os enrolávamos quando terminávamos de usá-los.

Portanto, deixe sua história de lado. Ela não é você. As pessoas vivem carregando o peso do passado e do futuro, o fardo da sua história pessoal, na esperança de que ela se resolva no futuro. Isso não vai acontecer. Então, enrole esse pergaminho velho. Livre-se dele.

Procure uma árvore
e permita que ela o
ensine a sentir o silêncio.

A razão primeira da arte é o sagrado – ser um portal, um ponto de acesso ao sagrado. Quando a vemos ou a sentimos, sentimos a nós mesmos. Nela, nós nos vemos refletidos. Na verdadeira arte, a ausência da forma reluz através da forma.

É claro que nem todas as pessoas têm o propósito de criar obras de arte. Mais importante do que isso é *nos tornarmos* uma obra de arte. Toda a nossa vida e todo o nosso ser passam a ser translúcidos para que a ausência da forma possa reluzir através deles. Isso acontece quando deixamos de nos identificar inteiramente com o mundo da forma.

Isso ocorre quando temos acesso ao reino do silêncio dentro de nós. Então algo que não tem nada a ver com a forma emana através dela.

Somos a luz em que
essas formas aparecem.

Esta é a natureza da árvore: embora silenciosa,
é ativa e cheia de vida, estendendo-se em direção ao céu.

A mente consegue entender um jardim projetado por um paisagista, mas a floresta é caótica. Ela esconde uma ordem mais elevada que o intelecto não é capaz de compreender. Entretanto, conseguimos perceber essa ordem quando ficamos em silêncio. Somos parte dela, somos parte dessa condição sagrada.

A natureza nos ensina a entrar no estado de unificação com a vida.
A ficar em silêncio.

Pensando não estamos resolvendo os problemas, e sim criando problemas. As soluções sempre aparecem quando saímos do pensamento e ficamos em silêncio, absolutamente presentes, ainda que seja só por um instante. Então, um pouco depois, quando o pensamento voltar, teremos um insight que não existia antes.

Quando rejeitamos o pensamento excessivo, tudo muda. Nossos relacionamentos se modificam porque paramos de querer que a outra pessoa faça algo por nós, que afirme nossa percepção do eu. Não nos comparamos mais com os outros nem tentamos ser superiores a eles para fortalecer nossa percepção do eu.

Permitimos que todos sejam como são. Não precisamos mudá-los. Não necessitamos que eles se comportem de maneira diferente para que possamos ser felizes.

Todos os pensamentos em nossa mente adquirem a percepção do eu quando não estamos conscientes de que eles são pensamentos. Assumem o sentido *Eu Sou*.

Nós nos identificamos com o movimento do pensamento. Essa é a essência do viver inconsciente. E é por isso que as pessoas estão sempre pensando no futuro. Em seus pensamentos sobre o futuro, elas esperam preencher a percepção incompleta que têm do seu eu. Acham que vão encontrar o final feliz da sua história de vida, uma construção mental que confundem com a própria identidade.

Será que estamos em busca de nós mesmos quando tentamos acrescentar *mais* a quem somos? Este é o dilema da existência humana: a busca compulsiva por *mais*.

O fotógrafo levantando a mão para saudar o Sol e sua própria imagem refletida numa bolha de ar numa poça na praia. Mais alguns segundos, mais alguns anos, mais algumas eras – e eles terão deixado de existir.

O espaço exterior e o espaço interior são definitivamente um só.

"Rachai a madeira – lá estou eu.
Erguei a pedra – lá me achareis."

– Evangelho de Tomé

Dizem que há duas maneiras de ser infeliz: não alcançando o que se quer e alcançando o que se quer.

Quando as pessoas conseguem aquilo que o mundo lhes diz que é desejável – riqueza, bens, reconhecimento, realizações –, elas, ainda assim, não são felizes, pelo menos não por muito tempo. Não possuem a verdadeira sensação de segurança, o sentido de realização.

Suas conquistas não lhes proporcionaram aquilo que elas realmente estão buscando – *a si mesmas*. A sensação de estarem enraizadas na vida. A *plenitude* da vida, como Jesus a denomina.

O animal ainda está em um estado de
unificação com a totalidade.
Não é atormentado por uma corrente
contínua de pensamentos.
Está profundamente enraizado no ser.
Não cria um mundo de problemas.
Ele está unificado na vida.

Não estou esperando pela chegada da primavera.
Sei que há um tempo de agir e um tempo de evitar a ação.
Estou entregue ao momento presente.
Estou unificado na vida.

Assim como a luz perpassa as nuvens,
a percepção perpassa meus pensamentos.
Embora eu pense, ainda sei o que sou.

Não há nada de errado em fazer coisas novas, em dar continuidade a certas atividades, em conhecer outros países e pessoas, em adquirir conhecimento e experiência, em desenvolver habilidades físicas e mentais e em criar qualquer coisa que nos peçam.

É bonito criar neste mundo, e sempre há algo mais que podemos fazer.

Ora, a questão é: estamos em busca de nós mesmos naquilo que fazemos? Estamos tentando acrescentar mais a quem achamos que somos? Estamos numa luta compulsiva pelo momento seguinte, e pelo seguinte, e pelo seguinte, na esperança de encontrarmos um sentido de completude ou realização?

Isso também passará.

Não importa quão longa pareça sua jornada, nunca haverá mais do que isto: um passo, um sopro, um momento – o agora.

A mente não pensa "Ah, que interessante, vou me recordar disso", pois o silêncio não é interessante. "Interessante" é tudo aquilo em que a mente pode pensar, mas isso não é fundamental.

Olhamos para uma árvore, ou para uma flor, ou para o pôr do sol. No momento em que começamos a analisá-los, colamos rótulos mentais neles. Eles se tornam interessantes, porém perdem a profundidade e a vida.

Se olharmos verdadeiramente para uma árvore ou para o pôr do sol, aquilo para o que estamos olhando será muito mais que interessante. Basta nos unificarmos nesse elemento, basta que o contemplemos para que ele se torne fascinante. Há uma intensidade nisso que desafia a capacidade analítica da mente.

Nenhuma forma é eterna, mas o eterno brilha através das formas aqui. Elas estão ficando transparentes.

Você também não é eterno e, ainda assim, a transparência existe em você. É isso que existe além da forma, não importa como o chamemos – silêncio, presença, uma profunda percepção do *Eu Sou*. Antes, isso estava misturado com a história do nosso ego, com construções mentais.

A preciosidade do Ser é o que temos de verdadeiramente especial. Aquilo que o eu egoico anda procurando no nível da história – "quero ser especial" – obscurece o fato de que não podemos ser mais especiais do que já somos agora. Especiais não no sentido de que somos melhores ou até mais infelizes do que alguém, mas no sentido de que existe uma beleza, uma preciosidade, uma vida, que é a essência do nosso ser e que podemos perceber lá no fundo.

Somente quando a natureza efêmera de todas as formas
é reconhecida e aceita, podemos apreciar o mundo pelo que ele é:
um leela, *ou seja, uma brincadeira divina, a canção do Tao.*

A testemunha silenciosa.

O pensamento se aquieta quando afagamos nosso cachorro ou quando seguramos no colo um gatinho ronronando. Às vezes, só o fato de observar um animal já é suficiente para nos livrar da atividade mental. Os animais estão muito mais conectados à origem da vida do que a maioria dos seres humanos, e esse enraizamento no Ser é transmitido a nós. Milhões de pessoas, que de outro modo estariam completamente perdidas na realidade conceitual da própria mente, permanecem sãs por estarem convivendo com um animal.

Se nossa mente estiver em silêncio, conseguiremos perceber a paz que emana da Terra.

Estamos aqui para descobrir
dentro de nós mesmos
essa dimensão que é mais profunda
do que o pensamento.

Como parecemos insignificantes comparados à vastidão.
No entanto, essa vastidão, essa profundidade infinita, está dentro de nós.
É inseparável do que somos.

Forma e espaço interpenetram-se, tanto por fora quanto por dentro.

ECKHART TOLLE nasceu na Alemanha, onde morou até os 13 anos. Depois de se formar na Universidade de Londres, trabalhou como pesquisador e supervisor na Universidade de Cambridge. Aos 29 anos, uma profunda transformação espiritual "cancelou" sua antiga identidade e modificou radicalmente o rumo da sua vida.

Os anos seguintes foram dedicados a compreender, incorporar e aprofundar essa transformação, que marcou o início de uma intensa jornada interior.

Eckhart não segue nenhuma religião nem tradição em especial. Seus ensinamentos transmitem uma mensagem simples, porém profunda, com a clareza atemporal e despojada dos antigos mestres espirituais: há saída para o sofrimento e um caminho para se alcançar a paz.

Ele vive em Vancouver, Colúmbia Britânica, Canadá.

eckhart teachings

As atividades da Eckhart Teachings atendem uma necessidade urgente: a transformação da consciência e o surgimento de uma humanidade mais esclarecida. Organizamos as palestras, os cursos intensivos e os retiros de Eckhart Tolle realizados em todo o mundo. Também gravamos, lançamos e distribuímos CDs e DVDs desses eventos e concedemos suas respectivas licenças. Além de apoiarmos Eckhart e a disseminação de seus ensinamentos, trabalhamos em prol da nova consciência e do despertar de todos os seres humanos. Por trás da forma externa do que fazemos e da nossa estrutura comercial está o real propósito da empresa: a união com a divindade.

www.eckharttolle.com
Site oficial de Eckhart Tolle

CONHEÇA OUTROS TÍTULOS DO AUTOR

O Poder do Agora

Passamos a maior parte de nossas vidas pensando no passado e fazendo planos para o futuro. Ignoramos ou negamos o presente e adiamos nossas conquistas para algum dia distante, quando conseguiremos tudo o que desejamos e seremos, finalmente, felizes.

Mas, se queremos realmente mudar nossas vidas, precisamos começar neste momento. Essa é mensagem simples mas transformadora de Eckhart Tolle: viver no Agora é o melhor caminho para a felicidade e a iluminação.

Um novo mundo – O despertar de uma nova consciência

"O principal propósito desse livro não é acrescentar novas informações e crenças à sua mente nem tentar convencê-lo de alguma coisa, e sim produzir uma modificação da sua consciência, ou seja, o despertar. (...) Se você não sabe o que significa despertar, continue lendo. Só por meio da experiência se conhece o verdadeiro sentido dessa palavra."

– Eckhart Tolle

Informações sobre os próximos lançamentos

Para receber informações sobre os lançamentos da EDITORA SEXTANTE, basta cadastrar-se diretamente no site www.sextante.com.br

Para saber mais sobre nossos títulos e autores, e enviar seus comentários sobre este livro, visite o nosso site www.sextante.com.br ou mande um e-mail para atendimento@esextante.com.br

EDITORA SEXTANTE
Rua Voluntários da Pátria, 45 / 1.404 – Botafogo
Rio de Janeiro – RJ – 22270-000 – Brasil
Telefone: (21) 2286-9944 – Fax: (21) 2286-9244
E-mail: atendimento@esextante.com.br